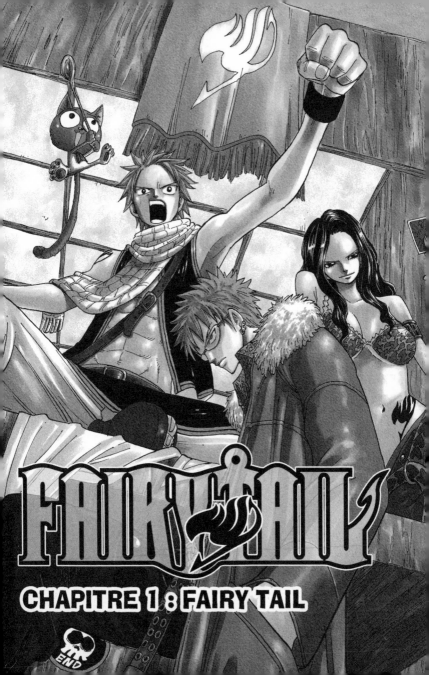

FAIRY TAIL

CHAPITRE 1 : FAIRY TAIL

END

MON CHARME N'EST PLUS AUSSI EFFICACE QU'AVANT...

PLAF

IL M'A FAIT QU'UNE RISTOURNE DE 1 000 JOYAUX...

TSS !

CETTE JEUNE MAGICIENNE S'APPELLE LUCY.

?

QU'EST-CE QUI SE PASSE ?

!

Hi; Hi; Hi; Hi; Hi;

16

17

19

20

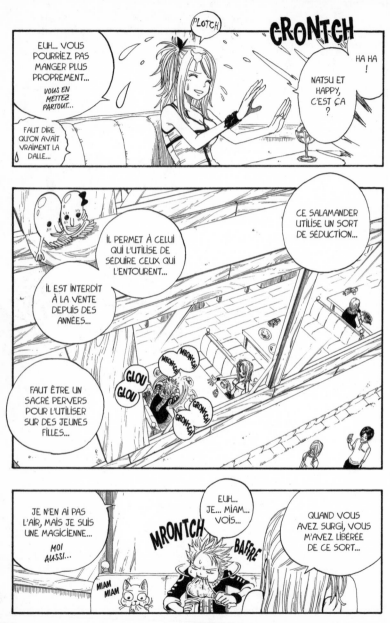

EUH... VOUS POURRIEZ PAS MANGER PLUS PROPREMENT...

VOUS EN METTEZ PARTOUT...

FAUT DIRE QU'ON AVAIT VRAIMENT LA DALLE...

PLOTCH

CRONTCH

HA HA !

NATSU ET HAPPY, C'EST ÇA ?

CE SALAMANDER UTILISE UN SORT DE SÉDUCTION...

IL PERMET À CELUI QUI L'UTILISE DE SÉDUIRE CEUX QUI L'ENTOURENT...

IL EST INTERDIT À LA VENTE DEPUIS DES ANNÉES...

FAUT ÊTRE UN SACRÉ PERVERS POUR L'UTILISER SUR DES JEUNES FILLES...

MRON'CH
MRON'CH
GLOU GLOU
MRON'CH
GRON'CH
GRON'CH

JE N'EN AI PAS L'AIR, MAIS JE SUIS UNE MAGICIENNE...

MOI AUSSI...

EUH... JE... MIAM... VOIS...

MRONTCH

BÂFRE

MIAM MIAM

QUAND VOUS AVEZ SURGI, VOUS M'AVEZ LIBÉRÉE DE CE SORT...

PEUT-ÊTRE QUE CE TERME NE VOUS DIT RIEN...

MAIS...

JE NE SUIS PAS ENCORE MEMBRE D'UNE GUILDE...

MRONTCH

AH ?

CRONTC

UNE GUILDE, C'EST UNE ORGANISATION DE MAGICIENS...

ELLE LEUR FOURNIT DU TRAVAIL ET DES INFORMATIONS...

WIZARD GUILD

ON NE PEUT PAS VRAIMENT SE PRÉTENDRE MAGICIEN TANT QU'ON N'EST PAS MEMBRE D'UNE GUILDE...

SONT DIFFICILES À REJOINDRE...

ÉVIDEMMENT, LES PLUS COTÉES...

ET IL Y A PLEIN DE GUILDES !

OUI !

VRAI-MENT ?

25

BOUHOU

AH !

JE DOIS Y ALLER...

PRENEZ VOTRE TEMPS POUR FINIR !

FSAP

AH ! ARRÊTEZ !

VOUS ME FAITES HONTE...

BLA BLA

BLA BLA

BLA BLA

MERCI !

MERCI INFINIMENT POUR CE REPAS !

JE SAIS !

PAF

C'EST VRAI, C'EST GÊNANT...

ON NE L'A PAS FAIT EXPRÈS, EN FAIT...

C'EST BON... VOUS M'AVEZ AIDÉE, VOUS AUSSI...

ON EST QUITTES MAINTENANT !

JE M'EN FOUS DE TON AUTO-GRAPHE !

TIENS, JE TE LE DONNE !

PLAF

C'ÉTAIT QUOI, CETTE FOIS ? ILS ONT DÉTRUIT SEPT HABITATIONS EN ARRÊTANT LE CLAN DES VOLEURS DE DEVON ?

LA GUILDE DE FAIRY TAIL A ENCORE FAIT DES DÉGÂTS ?

FLAP

SORCERER WEEKLY (HEBDOMADAIRE SPÉCIALISÉ SUR LA MAGIE).

32

AH !

BEUH____

IL UTILISE VRAIMENT UN SORT DE SÉDUCTION !

PAS DE PROBLÈME !

À CE SOIR...

JE VAIS DEVOIR ÊTRE GENTILLE AVEC LUI JUSQU'À CE QUE JE SOIS VRAIMENT MEMBRE...

HI HI HI

JE VAIS INTÉGRER FAIRY TAIL !

ENFIN !

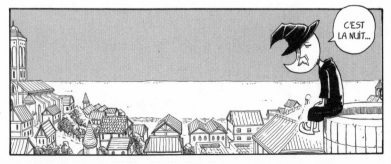

C'EST LA NUIT...

BOUAH ! J'AI BIEN MANGÉ !

OUAIS !

PLAF PLAF

J'AURAIS BIEN AIMÉ ALLER À SA SOIRÉE, MOI AUSSI !

REGARDE ! C'EST LE BATEAU DU SEIGNEUR SALAMANDER !

SUR CE BATEAU...

C'EST LÀ-BAS QUE SALAMANDER FAIT SA SOIRÉE...

JE ME SENS MAL...

BEURG !

RIEN QUE D'Y PENSER, J'AI LE MAL DE MER...

TU NE LE CONNAIS PAS ? C'EST UN GRAND MAGICIEN QUI VIENT SOUVENT EN VILLE...

SALAMANDER ?

FSHOU

PLOTCH

QU'EST-CE QUE ÇA VEUT DIRE ?

NE TE FAIS PAS D'IDÉES ! JE VEUX SEULEMENT INTÉGRER FAIRY TAIL...

MAIS TU PEUX TOUJOURS COURIR SI TU CROIS M'AVOIR...

OH ! TU AS DEVINÉ...

C'EST UN SOM-NIFÈRE !

41

BRAOM

LE MÔME DE TOUT À L'HEURE ?!

NATSU ?!

PLIC

WOOOOOOOUSH

C'EST VRAIMENT INCROYABLE !

IL MANGE LE FEU ET L'UTILISE POUR SES COUPS...

ÉVIDEM-MENT...

À L'ORIGINE, C'ÉTAIT UN SORT POUR ATTAQUER LES DRAGONS...

C'EST UN ANCIEN SORTILÈGE POUR DEVENIR DRAGON...

LE FEU NAÎT DU SOUFFLE DU DRAGON, LES FLAMMES SONT CONTRÔLÉES PAR SES GRIFFES ET ARRÊTÉES PAR SES ÉCAILLES...

QU'EST-CE QUE TU RACONTES ?!

C'EST LE SORT DU CHASSEUR DE DRAGON !

IGNIR L'A APPRIS À NATSU...

HA! HA!

OUI, MAIS C'EST LA VÉRITÉ...

UN DRAGON QUI ENSEIGNE UN SORT POUR LE DÉTRUIRE ? C'EST BIZARRE...

C'EST ENCORE UN COUP DE CES CRÉTINS DE FAIRY TAIL !

EN FAIT...

LE GOUVERNEMENT A DIT QUE C'ÉTAIT POUR ARRÊTER LE CRIMINEL BORA...

NE DITES PAS ÇA. ILS NE L'ONT PAS FAIT EXPRÈS...

UN JOUR, ILS VONT RAYER UNE VILLE DE LA CARTE !

ILS ONT À MOITIÉ DÉTRUIT UN PORT ! CELA NE PEUT PLUS DURER !

ET SI ON LES LAISSAIT TRANQUILLE ?

PFOU

COM-MENT ?!

C'EST VRAI QU'ILS SONT BÊTES, MAIS ILS SONT ÉGALEMENT DOUÉS...

C'EST BIEN CE QUI ME GÊNE !

C'EST ASSEZ ÉNERVANT, EN FAIT...

JE LES AIME BIEN CES ABRUTIS...

TOI, LA FERME !

CHAPITRE 2 : VOILÀ LE MAÎTRE !

TSAP

DIS-MOI, POUR QUI TU AS DÉJÀ POSÉ ?

C'EST QUOI, CE DÉLIRE ?!

J'AI HORREUR DES TYPES QUI N'ONT AUCUNE CLASSE...

SÛREMENT PAS !

TU PEUX ME PRÊTER LE TIEN ?

PLAF

T'ES TÊTU ! ON T'A DIT DE NOUS LÂCHER...

UN HOMME SE BAT AVEC SES POINGS !

VOUS ALLEZ...

J'ARRIVE MÊME PLUS À BOIRE !

AH ! SILENCE !

WOO —————— OOO

TSS !

PFOU...

MAÎTRE ?

AH ? VOUS ÉTIEZ LÀ...

À BOIRE !

C'EST VRAI !

TU PARLES D'UNE SURPRISE !

HÉ HÉ

MAÎTRE ?!

LOKI... TU AS DRAGUÉ **LA PETITE-FILLE DE MAÎTRE REIJI**, UN CONSEILLER...

KANNA ALPERONA, TU AS VIDÉ 15 TONNEAUX DANS UNE TAVERNE ET TU AS **ENVOYÉ TES NOTES DE FRAIS AU CONSEIL**...

15, 15, DISONS 14...

ET UNE AGENCE SE PLAINT DE TES MÉFAITS, NOUS AVONS REÇU UNE FACTURE À CE SUJET...

BON, TU N'AS PAS DÉTRUIT LE POINT DE VUE SUR LE VAL DE NAZUNA, MAIS VU QUE TU AS BOUSILLÉ TOUT CE QUI AVAIT À VOIR !

TU AS **DÉTRUIT UNE PARTIE DU CHÂTEAU DE LUPINAS**...

TU AS RÉDUIT EN CENDRES **L'ÉGLISE DE FURIJA**...

TU AS **ANÉANTI LE CLAN DES VOLEURS DE DEVON AINSI QUE SEPT HABITATIONS**...

TU AS DÉTRUIT L'HORLOGE DU VILLAGE DE TULY, **UN MONUMENT HISTORIQUE** !

ET JE NE TE PARLE PAS DU PORT D'HARUJION !

BEUH

ENSUITE, NATSU...

MOI AUSSI ?

BISKA !

VOLEN !

READERS !

KROF !

REBY !

ARZAK !

ETC.

IL EST RESPONSABLE DE PRESQUE TOUS LES FAITS DIVERS DONT PARLENT LES JOURNAUX !

115

116

EN FAISANT ÇA...

IL VA FROISSER L'AMOUR-PROPRE DE MACAO...

TOUT ÇA À CAUSE DE CE MÔME...

IL VA ALLER CHERCHER MACAO...

PFOU

FOUTEZ-LUI LA PAIX !

PERSONNE NE PEUT CHOISIR LA VOIE D'UN AUTRE...

C'ÉTAIT SI SOUDAIN...

QU'EST-CE QUI LUI A PRIS ?

POUIC POUIC

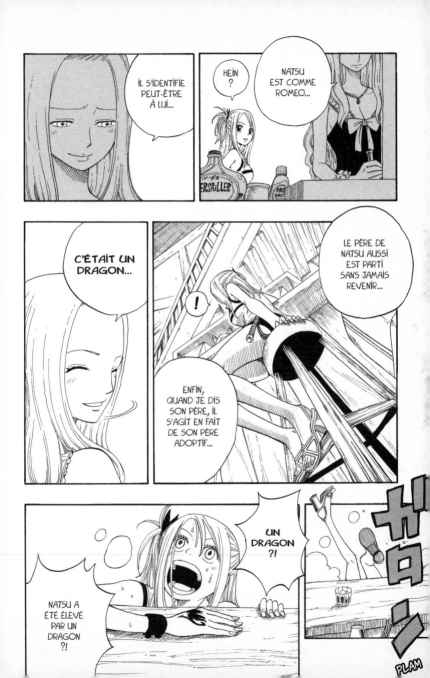

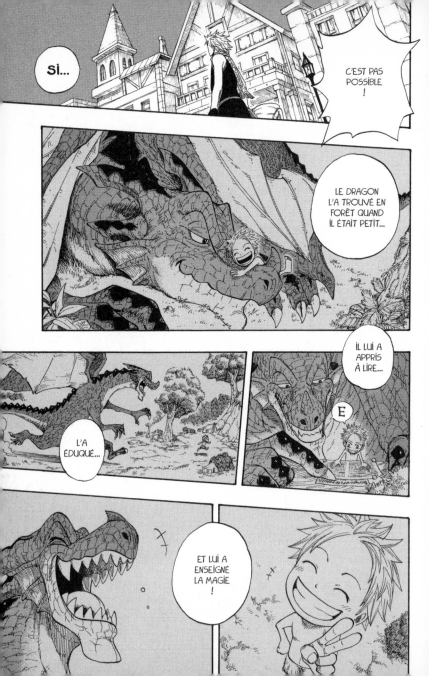

MAIS UN JOUR LE DRAGON A DISPARU...

C'EST ADORABLE, NON ?

DEPUIS CE JOUR, NATSU LE CHERCHE...

HA HA !

JE VOIS...

C'EST LE FAMEUX IGNIR...

CRAC CRAC CRAC CRAC

AU FAIT, NATSU, TU NE SUPPORTES VRAIMENT AUCUN MOYEN DE TRANSPORT...

JE VOULAIS ME RENDRE UTILE À LA GUILDE !

C'EST TOUT...

ELLE VEUT SE FAIRE BIEN VOIR, OUI...

CRAC

!

TU PEUX VENIR HABITER CHEZ NOUS...

EUH... NON ! SANS FAÇON !

QUAND ON AURA RETROUVÉ MACAO, IL FAUDRA QUE JE ME TROUVE UN LOGEMENT...

IL EST VRAIMENT TROP MIGNON...

HUM

HEIN ?

EX... EXCUSEZ-MOI...

ON DOIT ÊTRE ARRIVÉS ?

TSAP

ON S'EST ARRÊTÉS !

133

QU'EST-CE QU'UNE GUILDE ?!

Ce n'est pas un mot qu'on a l'habitude d'entendre. L'explication est donnée dans ce livre, mais nous allons compléter cette définition pour ceux qui n'auraient pas bien compris.

À l'origine, les guildes étaient des regroupements de plusieurs membres d'une même profession. Elles rassemblaient des artisans ou des commerçants, et comme *Fairy Tail* est une histoire de magiciens, on retrouve une guilde de magiciens, normal, non ? Pourquoi les guildes ont-elles été créées ? Parce que le monde est rempli de dangers. Pour leurs affaires, les commerçants devaient traverser des montagnes et des océans, lesquels étaient infestés de pirates et de brigands qui en voulaient à leurs marchandises. Une escorte étant hors de prix, la solution était de voyager tous ensemble. C'est comme ça que les guildes ont commencé à se mettre en place. Ça n'a pas fait disparaître les brigands, mais à plusieurs, on peut mieux se défendre !

Les guildes pouvaient aussi s'occuper des affaires courantes. Mais avec le temps, les guildes ont fini par s'opposer les unes aux autres. Si vous voulez en savoir plus, il y a de nombreux ouvrages disponibles sur ce sujet ! (rires)

En clair, une guilde, c'est une association de personnes avec des intérêts communs. Dans ce manga, c'est une association de magiciens. Leur travail est de régler les problèmes des autres grâce à la magie. La définition vous convient ?

En résumé, il y a plein de magiciens qui cherchent des aventures et de l'action ! C'est ça, *Fairy Tail* !

JE M'APPELLE LUCY...

J'AI 17 ANS ET JE SUIS CONSTELLA-TIONNISTE...

UN JOUR, J'AI RENCONTRÉ NATSU, UN MAGICIEN DU FEU (?) ET HAPPY, SON CHAT AILÉ (?) ...

GRÂCE À EUX, J'AI REJOINT FAIRY TAIL, UNE GUILDE DE MAGICIENS AVENTURIERS...

JE L'AI SUIVI PARCE QUE ÇA M'IN-TRIGUAIT...

QUAND NATSU A APPRIS QUE L'UN DES MEMBRES DE FAIRY TAIL N'ÉTAIT PAS REVENU DE SA DERNIÈRE MISSION...

IL EST ALLÉ LE CHERCHER SUR LE MONT YAKOBE MALGRÉ LA TEMPÊTE DE NEIGE...

CHAPITRE 3 : LE DRAGON DE FEU, LE SINGE ET LA VACHE

BROM BROM BROM BROM BROM

LE VIEUX, MIRAJANE...

IL ARRIVE !

HAPPY ET TOI ÊTES DES POTES !

BROM BROM

GREY, MÊME S'IL ME SAOULE GRAVE, ELFMAN...

J'AI COMPRIS ! C'EST BON !

NATSU ! DERRIÈRE TOI !

BROM BROM

RAAAH !

C'EST POUR ÇA...

* LE LABRYS EST UNE HACHE À DOUBLE TRANCHANT, DATANT DE L'ANTIQUITÉ GRECQUE.

TU NE PEUX PAS MOURIR !

ROMEO T'ATTEND !

HAN

HAN

HAN

'TAIN...

JE SUIS NUL...

J'EN BOUSILLE 19...

AAH !

AH !

RAH...

ON A PIGÉ ! TAIS-TOI, MAINTENANT !

TA BLESSURE RISQUE DE SE ROUVRIR !

OUTCH !

ET JE ME FAIS POSSÉDER PAR LE VINGTIÈME !

AOUTCH !

HEIN ?

161

LES MAGICIENS SONT DES IVROGNES !

COMME CEUX QUI VEULENT LE DEVENIR...

LES MAGICIENS SONT TOUS DES TROUILLARDS !

TU VEUX PARLER DES SACS À VIN DE L'AUBERGE ?

UN MAGICIEN DE FAIRY TAIL ?

MAIS NON...

JE....

PAPA... PARDON...

?

PAPA ! MONTRE-LEUR QU'ILS SE TROMPENT...

J'EN AI MARRE D'ÊTRE LEUR SOUFFRE-DOULEUR !

MERCI AUSSI, LUCY !

POUR CE 4 JUILLET, ALTERNANCE DE SOLEIL ET DE TEMPÊTES DE NEIGE...

FAIRY TAIL EST UNE GUILDE DE VAURIENS ET DE BARGES...

MAIS ILS SONT TRÈS GENTILS ET CHALEUREUX...

MAIS JE CROIS QUE JE VAIS ADORER CETTE GUILDE !

JE DÉBUTE SEULEMENT DANS LA MAGIE...

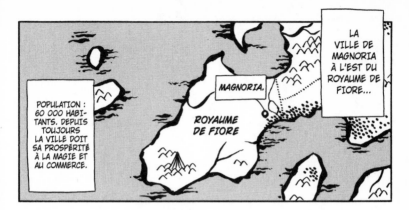

LA VILLE DE MAGNORIA À L'EST DU ROYAUME DE FIORE...

MAGNORIA.

ROYAUME DE FIORE

POPULATION : 60 000 HABITANTS. DEPUIS TOUJOURS LA VILLE DOIT SA PROSPÉRITÉ À LA MAGIE ET AU COMMERCE.

FAIRY TAIL.

CATHÉDRALE KALDIA.

QUAND ON DÉPASSE LA CATHÉDRALE KALDIA QUI SE DRESSE AU CENTRE-VILLE...

ON PEUT APERCEVOIR LE BÂTIMENT DE LA SEULE GUILDE DE MAGICIENS DE LA VILLE : FAIRY TAIL...

ET...

C'EST LÀ QUE J'HABITE ! (LOYER : 70 000 JOYAUX).

C'EST UN PEU CHER MAIS C'EST PRÈS DES COMMERCES, BELLE SURFACE ET C'EST CENTRAL !

CHAPITRE 4 : L'ESPRIT DE LA CONSTELLATION DU CHIOT

MAIS JE NE VEUX PAS !

ON EST VENUS TE VOIR !

NON !

RIEN DU TOUT...

SORTEZ DE CHEZ MOI !

T'ES BIZARRE ! C'EST QUOI, CE TRUC ?

JE NE PEUX RIEN VOUS PROPOSER D'AUTRE QUE DU THÉ...

JE VIENS D'EMMÉNAGER, JE N'AI PAS ENCORE DÉBALLÉ TOUTES MES AFFAIRES...

AH ! AU FAIT !

JUSTE PARCE QUE JE VOUS AI DIT DE BOIRE VOTRE THÉ ET DE DÉGAGER ?!

OUAIS !

T'ES DIRECTE COMME NANA...

POUR UNE CONSTELLATIONNISTE LES CONTRATS OU LES PROMESSES SONT TRÈS IMPORTANTS...

C'EST POUR ÇA QUE JE TIENS TOUJOURS MA PAROLE !

!

BOING

BOING

BOING

IL NE S'APPELLE PAS NIKOLA ?

CE N'EST QU'UN NOM GÉNÉRIQUE...

AU FAIT ! IL TE FAUT UN NOM !

AH !

PLUE ?

POON !

VIENS, PLUE* !

TAPATAPATAPATAP

* PLUE EST L'UN DES PERSONNAGES DE LA SÉRIE RAVE.

PO-ON !

HOUR-RAAAAA !

C'EST COMME UN CONTRAT

OK ! ÇA MARCHE !

C'EST GÉNIAL !

ÇA VA ÊTRE SUPER !

HI ! HI !

PLAF

ALLEZ ! ON VA BOSSER !

IL A BEAU NE PAS LE MONTRER, MAIS JE CROIS QU'IL M'APPRÉCIE !

HÉ HÉ HÉ

TU PENSES VRAIMENT À TOUT... ♡

TIENS, J'AI DÉJÀ QUELQUE CHOSE !

...

POUR TOUCHER 200 000 JOYAUX ?!

IL SUFFIT D'ALLER CHERCHER UN BOUQUIN CHEZ LE COMTE EBAR...

NON !

À SHIROTSUME ?

JE NE CROIS PAS EN AVOIR ENTENDU PARLER...

C'EST TENTANT, PAS VRAI ?

180

À UN CHAT ? JAMAIS !

IL FAUT QUE TU T'ENTRAÎNES UN PEU, APPELLE HAPPY MAÎTRE POUR VOIR...

JE NE VEUX PAS ÊTRE SERVANTE !

ALLEZ ! ON EST PARTIS...

VOUS VOUS ÊTES MOQUÉS DE MOI !

J'AURAIS DÛ PRENDRE L'ANNONCE PLUS VITE...

NATSU A DIT QU'IL ALLAIT EN PARLER À LUCY...

TIENS ? LE BOULOT À 200 000 JOYAUX CHEZ EBAR EST PARTI ?

QUI A BIEN PU LE PRENDRE ?

MAÎTRE ?

REBY... C'EST PEUT-ÊTRE MIEUX QUE TU NE PUISSES PAS Y ALLER...

JE SENS QUE ÇA VA DEVENIR...

INTÉRESSANT...

CRA ÇA CRAC

CRA ÇA CRAC

C'EST MOI QUE TU DOIS APPELER, MAÎTRE !

GRR...

LA FERME, SALE MATOU !

ARGH... C'EST L'ENFER !

HAN HAN

ALORS, LA CALÈCHE VOUS CONVIENT, MAÎTRE ?

À SUIVRE...

188

ESQUISSES POUR NATSU

TIENS ? IL A DES CORNES ?

Dans un premier temps, j'ai travaillé sur une histoire courte (normalement, elle devait s'appeler fairy tale). Dans ce projet, le héros était un esprit. J'ai repris ses traits pour créer Natsu. Mais vu que c'est un humain, je lui ai retiré les cornes.

( )

Enchanté pour les uns et ça fait un bail pour les autres* ! Hiro Mashima, l'auteur, vous parle. D'abord, merci d'avoir lu le premier tome de *Fairy Tail* ! Ça vous a plu ? J'espère... et sans vous dévoiler la suite, l'aventure va devenir de plus en plus trépidante !

Je pense utiliser cette page pour vous parler des secrets de fabrication de chaque volume, vous donner de mes nouvelles, vous dévoiler mes rapports avec mon éditeur et bien d'autres surprises... Lisez-les quand vous aurez le temps !

Nous sommes donc à la fin du premier volume et, je vais vous raconter les secrets de la genèse de *Fairy Tail* ! À l'origine, ce devait être une histoire d'une guilde de transporteurs. Le héros, Natsu, pouvait manipuler le feu et transportait des marchandises, mais il avait le mal des transports. Vous vous demandez comment le transporteur est devenu un magicien ? C'est parce que j'ai voulu faire une histoire ancrée dans l'imaginaire. Voilà, j'avais presque fini le premier chapitre des aventures du transporteur. C'était bien parti et je me suis dit que ce serait amusant de rajouter une guilde de magiciens. J'étais emballé par cette idée et les séquences me venaient naturellement. J'en ai alors parlé à mon éditeur et il m'a demandé de tout recommencer à zéro. Ça a donné *Fairy Tail*. De conte de fées, le titre est devenu queue de fées, c'est drôle, non ?! (rires)

Voilà, maintenant, je vais faire de mon mieux pour vous tenir en haleine ! Attendez-vous à une succession de sorts tous plus dingues les uns que les autres !

Rendez-vous dans le volume 2 !

* HIRO MASHIMA EST AUSSI L'AUTEUR DE RAVE.

Titre original :
FAIRY TAIL, Vol. 1
© 2006 Hiro MASHIMA
All Rights Reserved.
First published in Japan in 2006
by Kodansha Ltd., Tokyo.
Publication Rights for this French Edition
arranged through Kodansha Ltd., Tokyo.

Traduction et adaptation : Vincent Zouzoulkovsky
Création d'illustrations : Docteur No
Édition française
2008 Pika Édition
ISBN : 978-2-84599-914-5
Dépôt légal : septembre 2008
Achevé d'imprimer en Italie
par Grafica Veneta en décembre 2018